迪士尼 我会自己读 第1级

春天花儿开

童趣出版有限公司编　　人民邮电出版社出版

北　京

缓步出发大步走

儿童阅读的作用和意义，家长们已经达成共识，不再需要热烈讨论。不过，家长们还是有一些普遍困惑，例如，孩子在幼儿园要不要识字？通过什么方式识字？孩子在幼儿园不识字能否应对小学之初的压力？如何处理父母读和自主读的关系？阅读兴趣和语言学习如何兼顾？

这套书正是为了解答上述疑惑而编写的。编写者希望在儿童阅读的纷繁流派中，坚持一些基本观点，探索中国孩子学习阅读的独特途径。这些观点主要如下：一、早期阅读要把阅读兴趣的培养放到最重要的位置来考虑；二、通过这套书让孩子在幼儿园认识 400 个常用字，为小学阶段的学习减轻压力和奠定基础；三、不鼓励父母用识字卡片的方式教孩子识字，把生字放到故事中更有意义；四、在小学三年级的阅读关键期，实现孩子自主阅读；五、幼儿园阶段既鼓励亲子阅读，又鼓励孩子自主阅读。由此，这套书主要有如下特点：

科学性。从选择高频、简单、构词能力强的字先认，到通过各种方式复现，再到故事内容的打磨，最后培养出优秀的阅读者。从分级阅读的角度，综合考虑生字、生词、句子长度、主题深浅等多个因素，编写出难度递增的故事。

趣味性。选择了迪士尼的漫画人物和漫画故事作为主要内容，降低阅读难度，增强阅读趣味。由于有识字的安排，创作故事犹如"戴着镣铐跳舞"，但故事仍然精彩十足，劲道十足。

功能性。把识字放在重要位置，同时兼顾文学性。和时下流行的图画书不同，本套书把学习功能放到重要位置。希望通过有趣的故事，让孩子认识汉字，早日实现自主阅读。

希望通过这套书，帮助孩子在阅读之路上缓缓起步，培养自信，锻炼能力，然后再大步流星，一路前行，成为趣味高雅、兴趣充盈的阅读者！

王林（儿童阅读专家）

春天花儿开

春天来了，好高兴！

米妮

呢 泥

地上的花儿多好看啊！

米妮 的花儿多好看啊。

我的花儿好不好看？

去看看 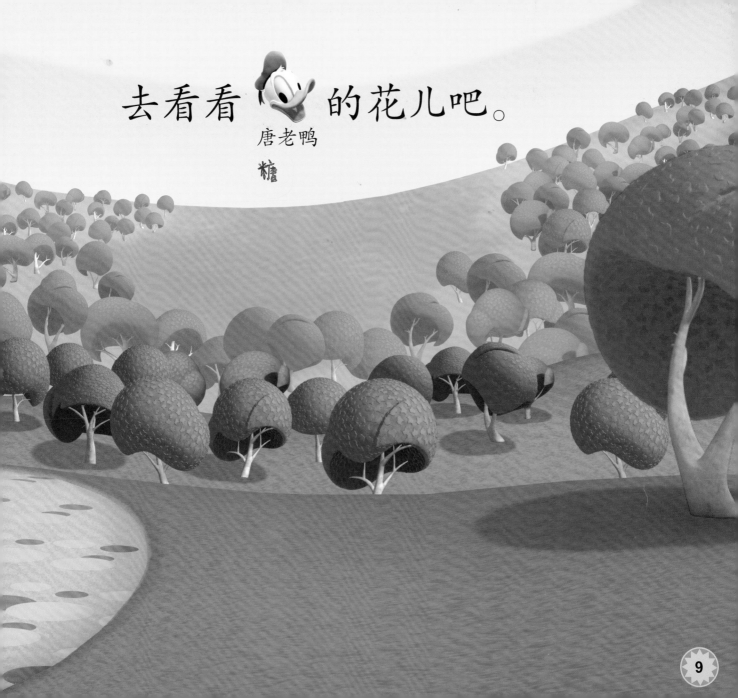 的花儿吧。

唐老鸭

糖

一天、两天、三天，

四天、五天、六天……

七天、八天、九天，

你看到  的花儿了吗？

唐老鸭

糖

不好！来吃的花儿了！

小虫

唐老鸭

六十天了，的花儿开了！

唐老鸭

多好看啊！

16

小鸟来了。

朋友们来了。

大家看到的花儿了！
唐老鸭
的花儿好多好多，好大好大！
唐老鸭

20

一、二、三，笑一个！

米奇
椅

一、二、三，黛西代 笑一个！

一、二、三，
大家笑一个！

好朋友的一天

一天，来找。

高飞　　　　　　米奇

、 来找 。

唐老鸭　　　黛西　　　　米奇
代

米妮 来找 。 "你好， ！"
米奇　　　　　　　　米奇

"大家跟我出去玩儿吧！"

五个朋友玩儿啊玩儿，好高兴。

米妮，跟我玩儿吧。

米妮，跟我玩儿吧。

我跟  玩儿吧。

米奇

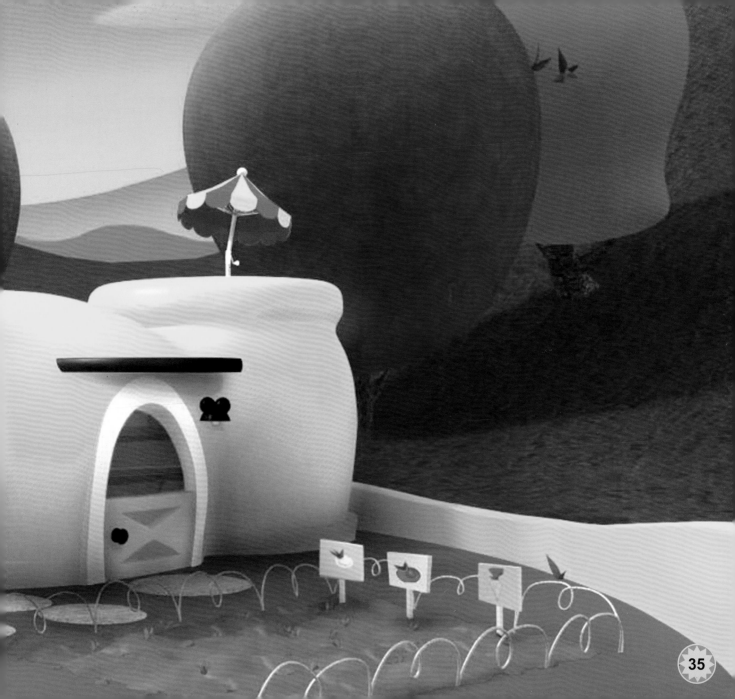

"大家跟我来！"

六个好朋友不多也不少。

大家好开心啊！

黛西，我来啦！ 米妮，我来啦！

大家来吃吧！

好朋友吃啊吃啊吃多多。

游戏测试页

看图选字。为每幅图找到相对应的字。

 花

 鸟

 草

米妮想要给下面的每个字都找个朋友，你能帮帮她吗？

天　　好
爱　　草
出　　地
花　　去

游戏测试页

下面的句子你会读吗？
每读对一句就把它旁边的 ☆ 涂上颜色。

☆ 春天来了。   ☆ 大家笑一个。

☆ 小鸟来了。   ☆ 大家来吃吧。

超范围字

a	ba	ma	xīn	men
啊	吧	吗	心	们

zǒu	kāi	yě	gēn	la
走	开	也	跟	啦

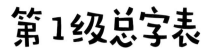

一	二	三	四	五	六	七	八
九	十	两	上	下	大	小	多
少	个	花	草	天	地	春	鸟
朋	友	出	去	到	来	看	吃
笑	找	爱	玩	儿	了	只	的
不	高	兴	好	早	我		
你	爸	妈	家				

米奇和朋友们的故事真好看，我还想看！下面的小书你都看过了吗？看过了就在书的旁边打个"√"，没有看过的快去看吧！

专家小贴士

建议孩子同一级别的书多读几本，提高重点字的复现率，便于孩子强化巩固已认生字。